A a apple	B b ball	C c car	6
D d dog	E e egg	F f fish	10
G g girl	H h hat	I i insect	14
J j jug	K k kite	L l lemon	18
M m mouth	N n nose	O o orange	22
P p penguin	Q q queen	R r robot	26
S s sun	T t table	U u umbrella	30
V v van	W w window	X x box	34
Y y yellow	Z z zebra		38

1

FUNDAYS CARTOON TIME

F ✏️

G 📼 💬 ✏️

C

Red, yellow, green and blue. Hello, Ted. How are you?

Red, yellow, green and blue. Hello, Sue. Fine, thank you.

D

a 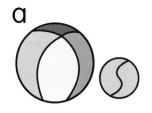   b    c    d

 b

A little dog and a big dog.

E

a blue book

a red bike

a yellow egg

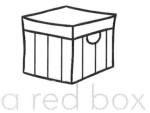

a red box

a yellow cat

a green apple

11

FUNDAYS CARTOON TIME

G 🖊💬

a red apple

a green fish

a blue ball

a brown dog

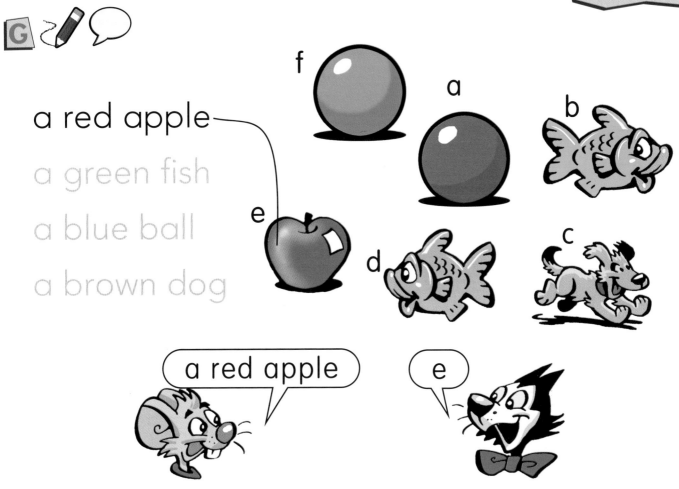

a red apple

e

H 🖊

a ——————————— <u>a</u>pple

b _all

c _ar

d _og

e _gg

f _ish

blue yellow green red green blue yellow red

2 1 3 2 1 4 3 4

one one two two three three four four

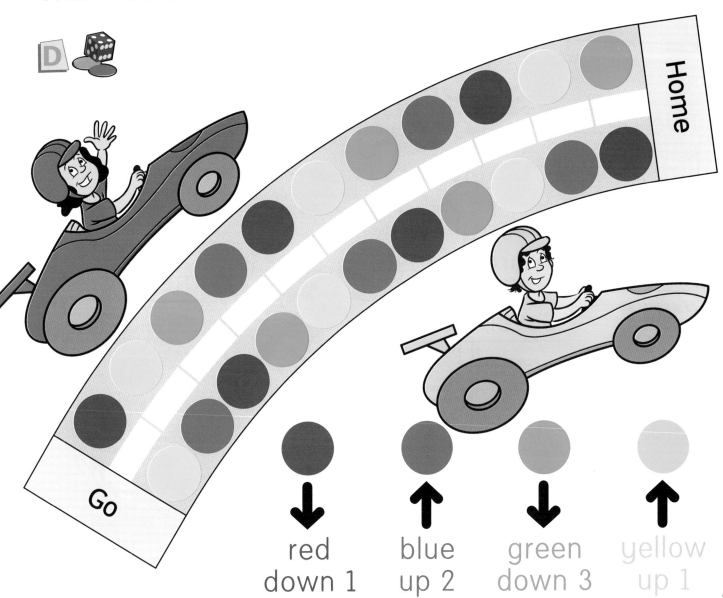

Home

Go

red
down 1

blue
up 2

green
down 3

yellow
up 1

1

four red kites

2 six green jugs

3

four yellow lemons

4

five green jugs

5

nine brown insects

6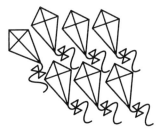

seven blue kites

3 Four yellow lemons.

1  = four hat<u>s</u>

2 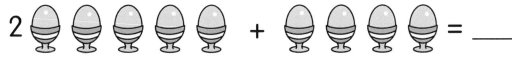 = ____ egg_

3  = _____ lemon_

4  = ____ kite_

5  = ____ insect_

19

FUNDAYS CARTOON TIME

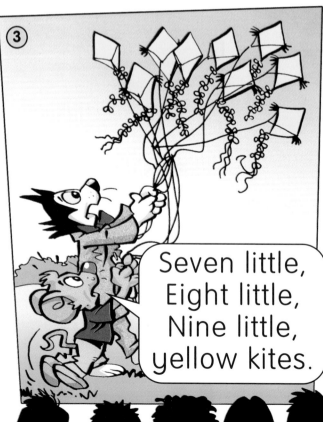

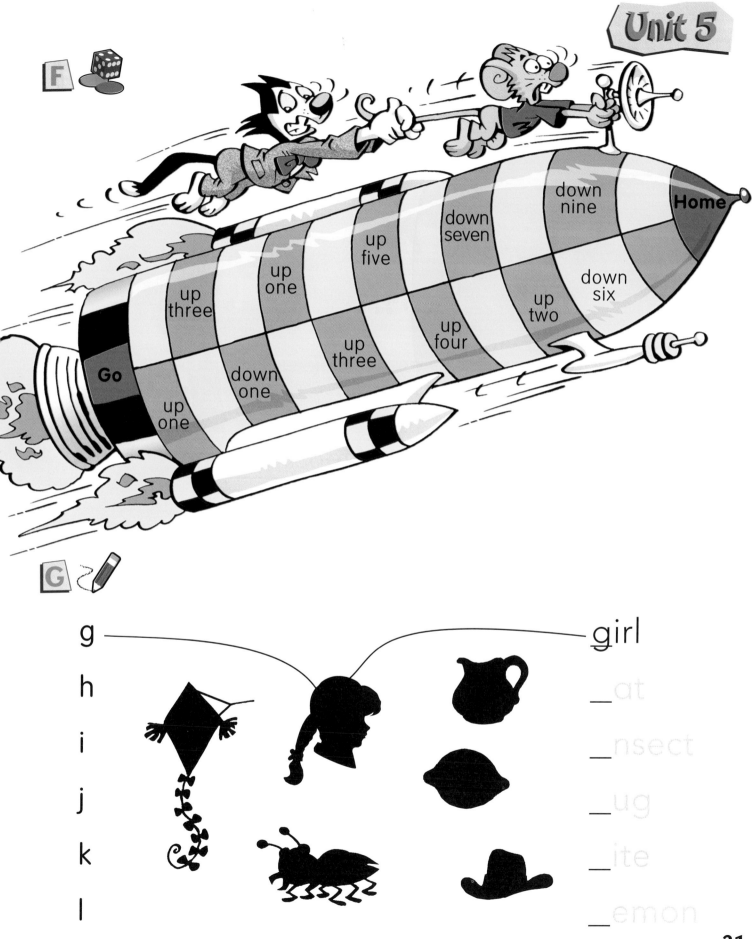

F

down nine

Home

down seven

up five

down six

up one

up two

up four

up three

down one

up three

Go

up one

G

g ———————————————————— girl

h

i

j

k

l

_at

_nsect

_ug

_ite

_emon

 a 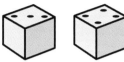   b 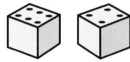   c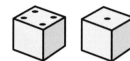

d   e

d How many?   Six.

1 How many but-tons? Guess.   Two.

2 No. Three.

3 How many but-tons? Guess.   Four.

4 Yes. Your turn.

F 🎵

One nose,
One mouth,
Two arms,
Two legs.
One yellow body,
And one red head.
A robot!

G ✏️

Ah! Insects!

1 <u>How</u> <u>many</u> heads?   <u> Five </u> heads.

2 <u>How many</u> arms?   _____ arms.

3 <u>How many</u> mouths?   _____ mouths.

4 <u>How many</u> noses?   _____ noses.

5 <u>How many</u> oranges?   _____ oranges.

25

penguin
queen
robot

① Come here, Billy.

② Sit down, please.

③ Stop, please.

④ Stand up, Billy.

Oh, no!

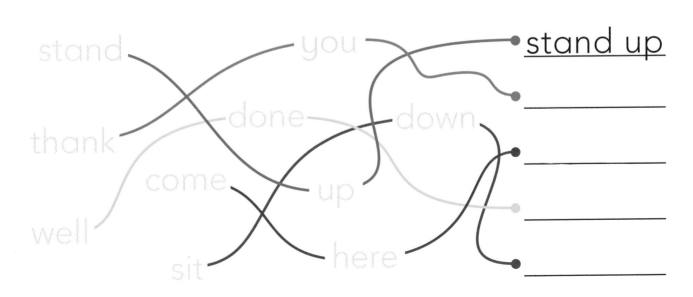

		stand up
stand	you	
thank	done	down
come	up	
well		
sit	here	

Sit down, please.

o r a n g e

Happy Birthday Ted

I'm Ted.

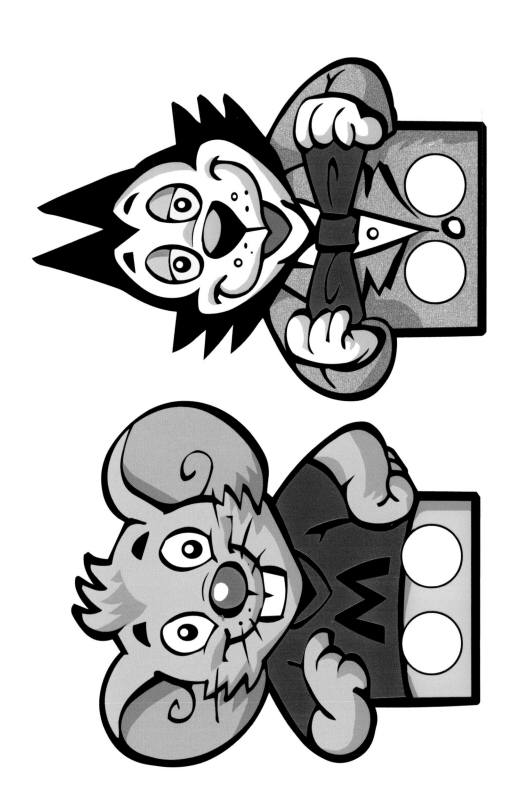

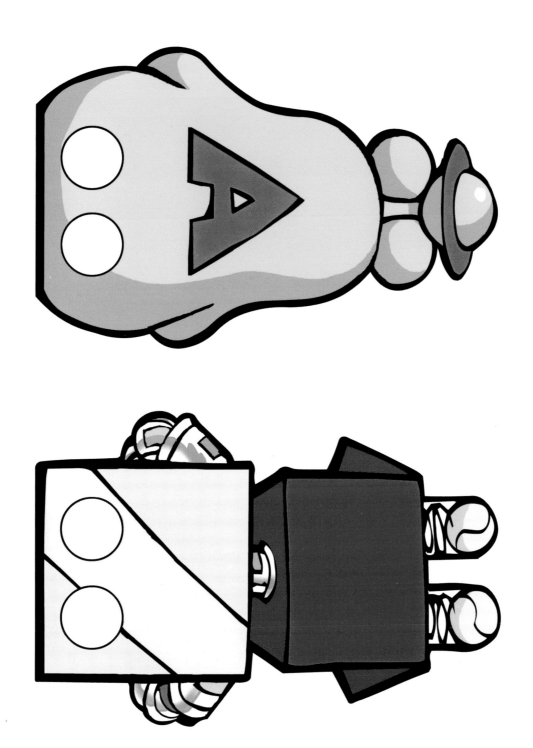

C

1 Yes.
No.

2 Yes.
No.

3 Yes.
No.

4 Yes.
No.

5 Yes.
No.

6 Yes.
No.

1 It's a window.

D

1 Hooray! Hooray!
I'm six today.

2 Hooray! Hooray!
I'm _____ today.

3 Hooray! Hooray!
_____

4 Hooray! Hooray!
_____

1 2  3 4 5

 3 It's an orange.

  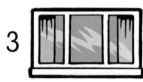

1 2 3

It's a (an) umbrella. It's a an egg. It's a an window

4 5 6

It's a an apple. It's a an table. It's a an insect.

An apple, an egg, an orange.
An apple, an egg, an orange.
An apple, an egg.
An apple, an egg.
An apple, an egg, an orange.

C

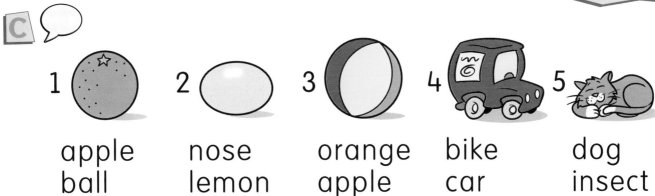

1 apple
ball

2 nose
lemon

3 orange
apple

4 bike
car

5 dog
insect

1. Is it an apple?   No, it isn't.

Is it a ball?   No, it isn't.

Is it an orange?   Yes, it is.

D

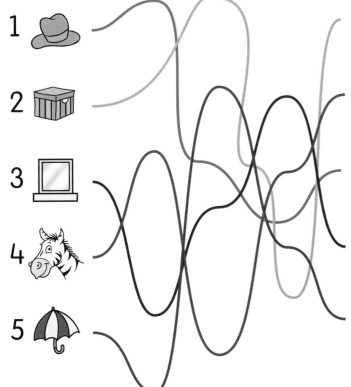

1

2

3

4

5

Is it a window?
Yes, it is.   No, it isn't.

Is it a box?
Yes, it is.   No, it isn't.
Is it a hat?
Yes, it is.   No, it isn't.
Is it a dog?
Yes, it is.   No, it isn't.
Is it an umbrella?
Yes, it is.   No, it isn't.

40

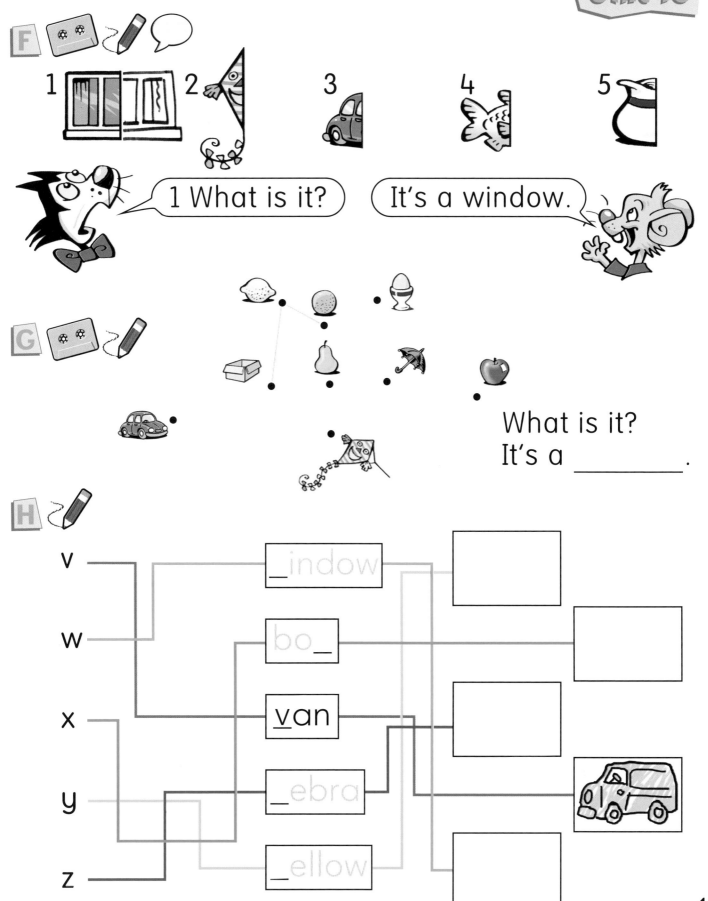

C

I'm sad. I'm seven. I'm Dad. I'm happy. I'm Anna.

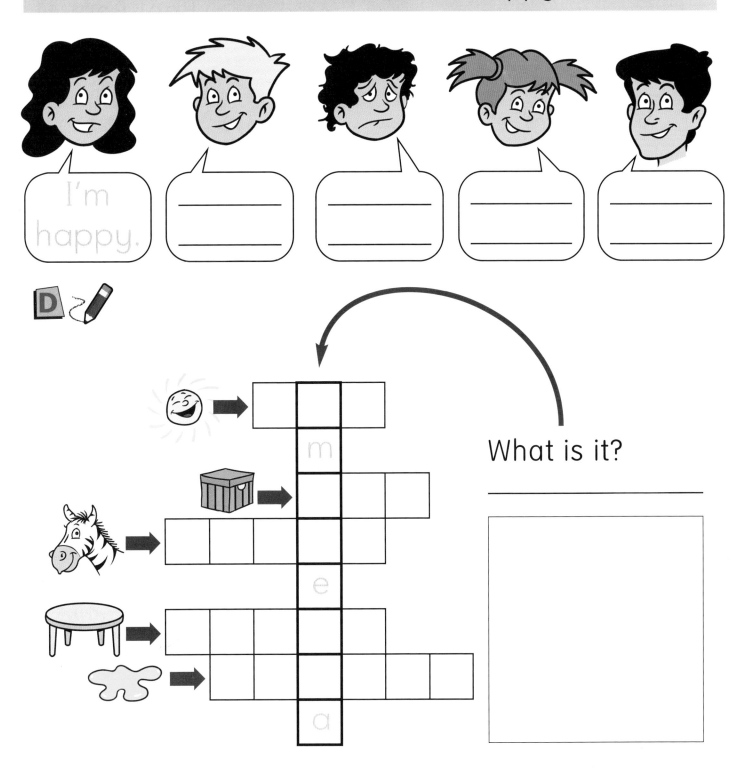

I'm happy.

D

What is it?

I'm happy. I'm sad.
I'm short. I'm tall.
Look! What is it?
It's a big ball.

1 I'm big (small.)

2 I'm happy sad.

3 I'm short tall.

4 I'm brown yellow.

I'm _____.

Unit 12

46

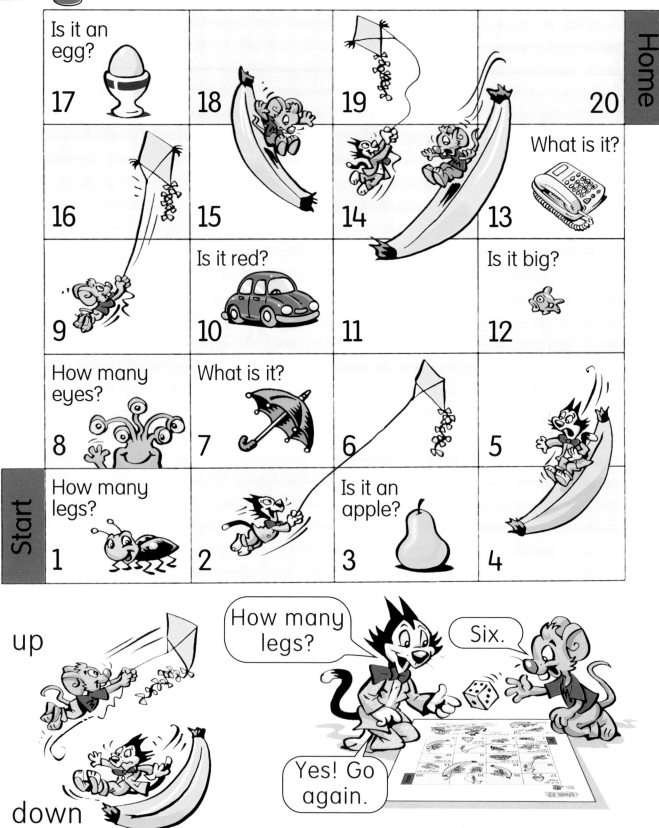

Mel

Kit

Rob

Al

queen

zebra

penguin

Boys and girls,
How are you?
I'm sad, I'm sad,
I'm sad too.

Boys and girls,
How are you?
Goodbye! Goodbye!
Goodbye to you!

Goodbye.

Goodbye.

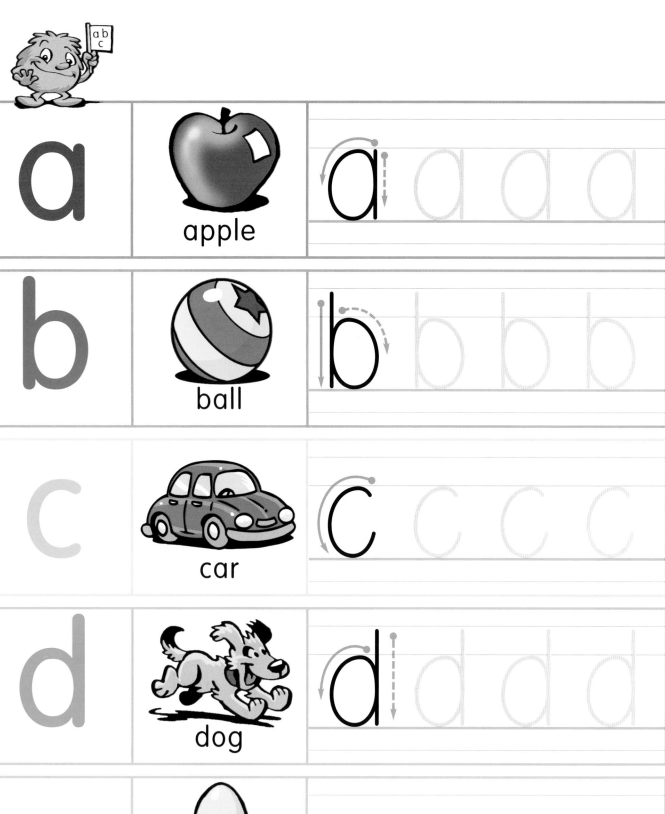

a	apple	a a a a
b	ball	b b b b
c	car	c c c c
d	dog	d d d d
e	egg	e e e e

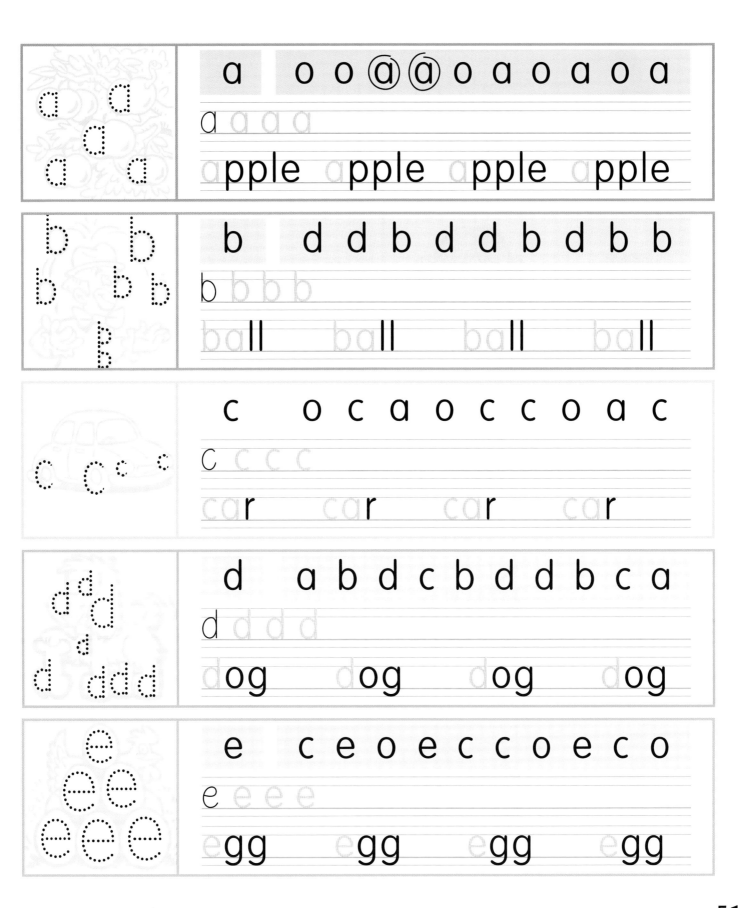

a   o o ⓐ ⓐ o a o a o a

a a a a

apple   apple   apple   apple

b   d d b d d b d b b

b b b

ball   ball   ball   ball

c   o c a o c c o a c

c c c c

car   car   car   car

d   a b d c b d d b c a

d d d d

dog   dog   dog   dog

e   c e o e c c o e c o

e e e e

egg   egg   egg   egg

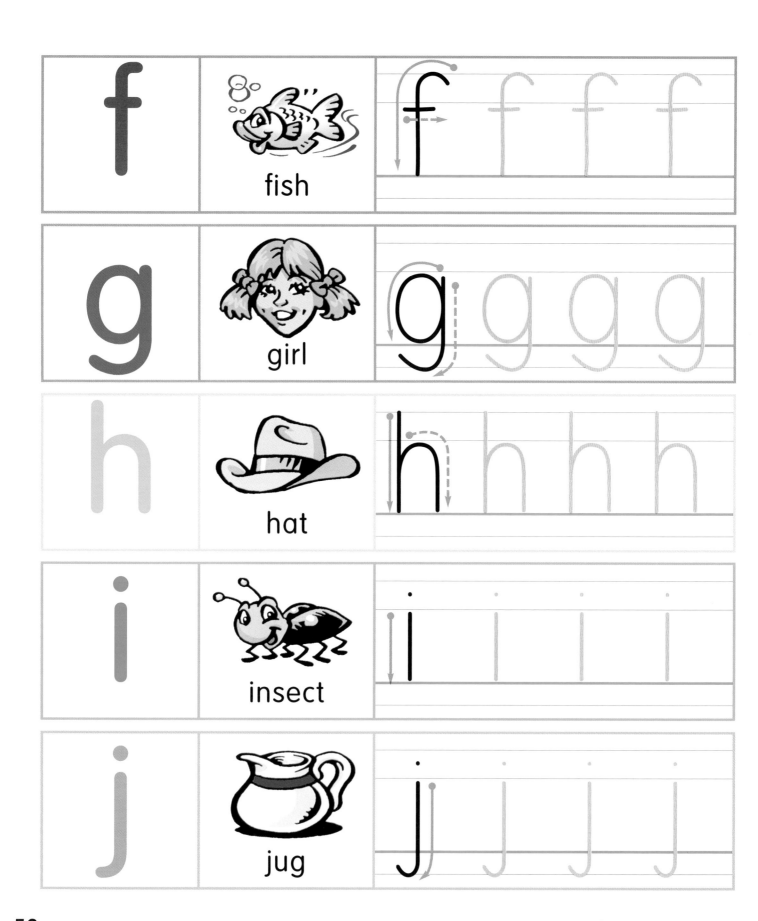

f

fish

g

girl

h

hat

i

insect

j

jug

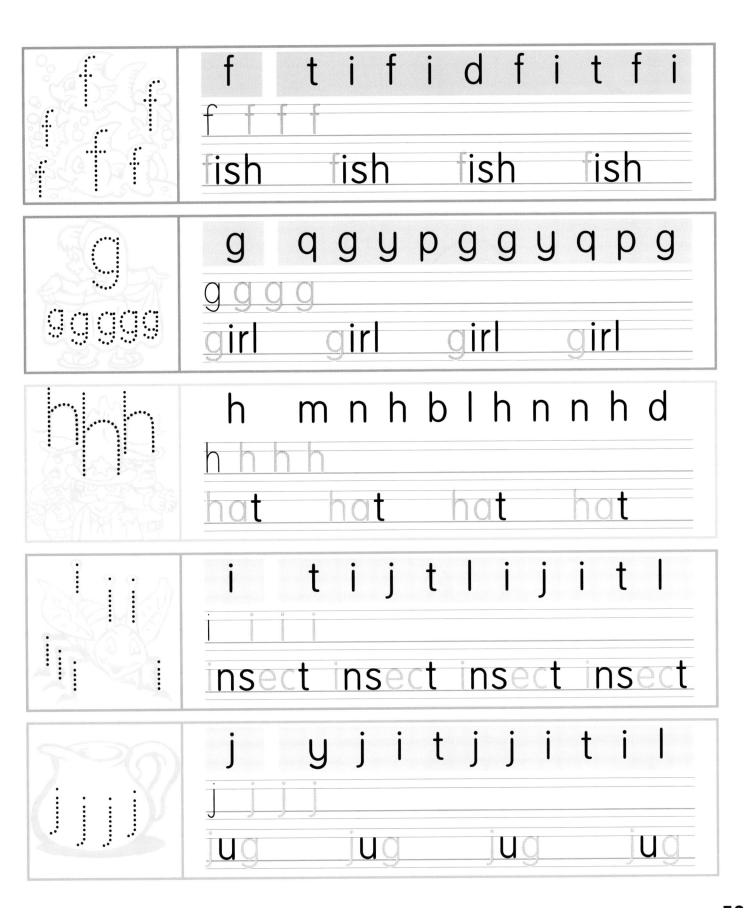

f	t i f i d f i t f i

f f f f

fish   fish   fish   fish

g	q g y p g g y q p g

g g g g

girl   girl   girl   girl

h	m n h b l h n n h d

h h h h

hat   hat   hat   hat

i	t i j t l i j i t l

i i i i

insect insect insect insect

j	y j i t j j i t i l

j j j j

jug   jug   jug   jug

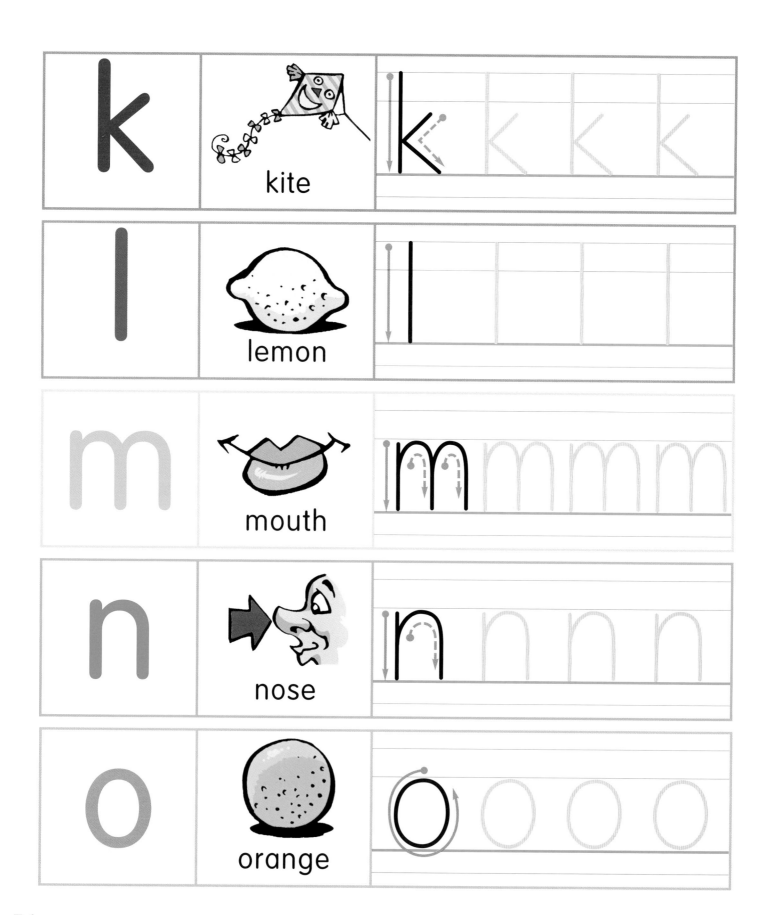

k   kite

l   lemon

m   mouth

n   nose

o   orange

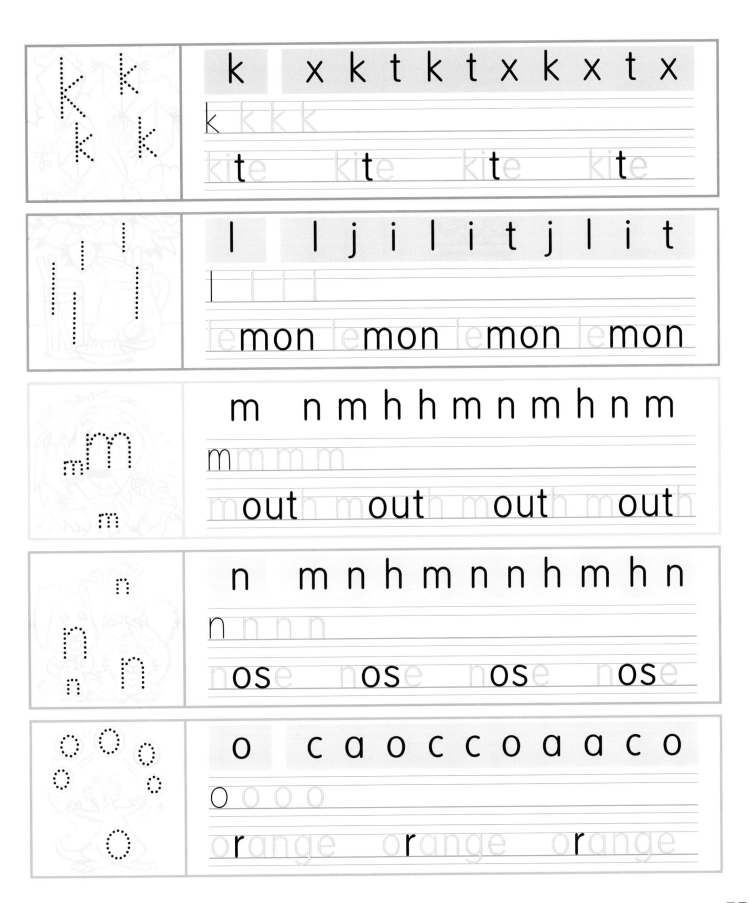

	k	x k t k t x k x t x
	k k k k	
	kite	kite	kite	kite

	l	l j i l i t j l i t
	l	
	lemon	lemon	lemon	lemon

	m	n m h h m n m h n m
	m m m m	
	mout	mout	mout	mout

	n	m n h m n n h m h n
	n n n	
	nose	nose	nose	nose

	o	c a o c c o a a c o
	o o o o	
	orange	orange	orange

55

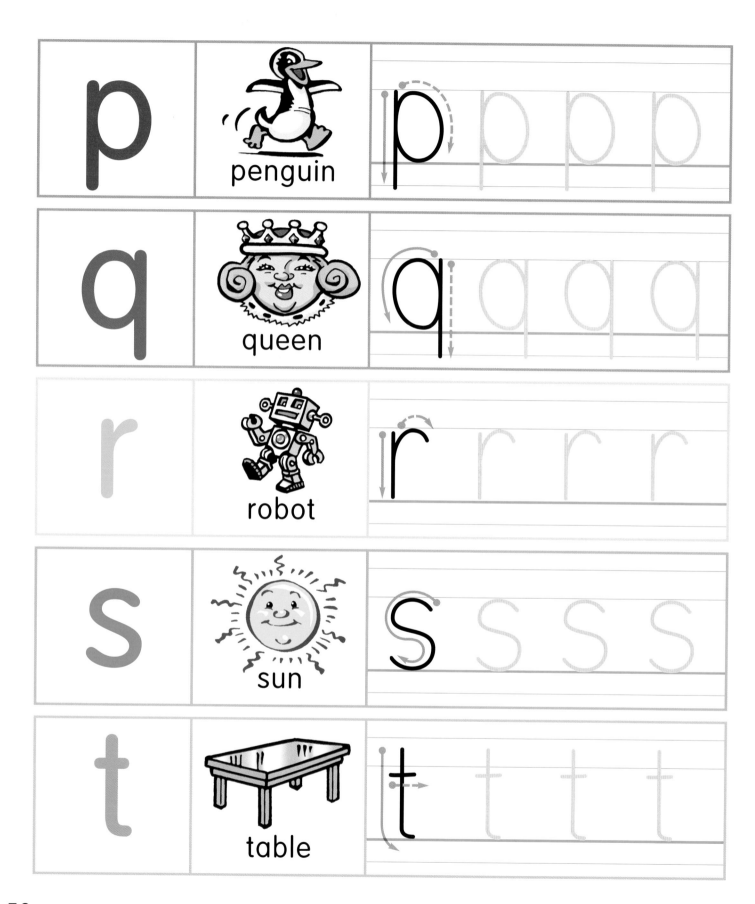

p	penguin	p p p p p
q	queen	q q q q q
r	robot	r r r r r
s	sun	s s s s s
t	table	t t t t t

56

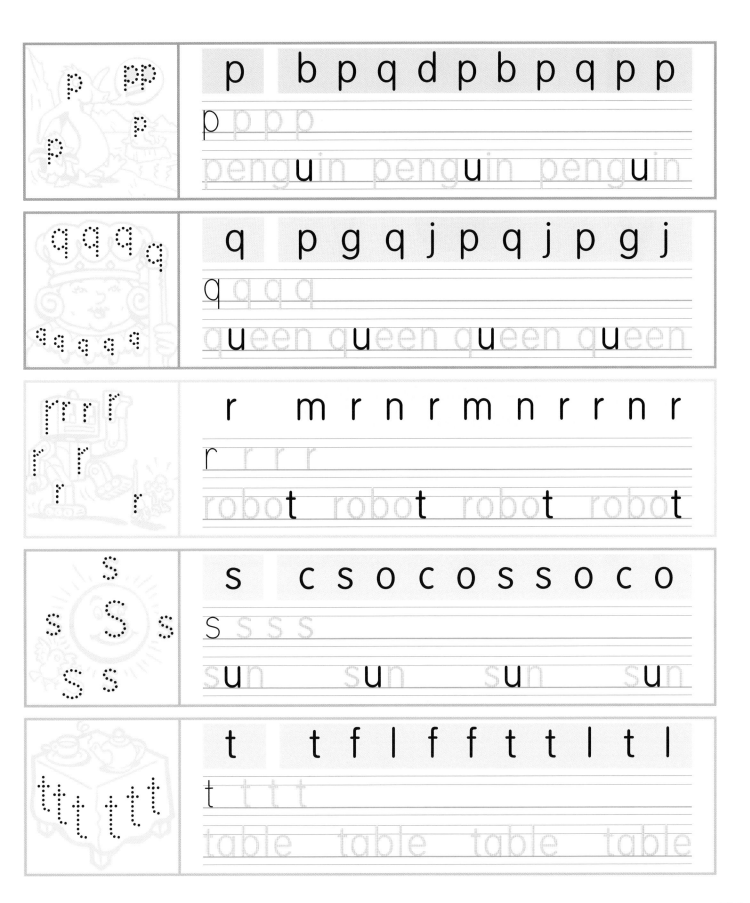

p | b p q d p b p q p p

p p p p

penguin penguin penguin

q | p g q j p q j p g j

q q q q

queen queen queen queen

r | m r n r m n r r n r

r r r r

robot robot robot robot

s | c s o c o s s o c o

s s s s

sun sun sun sun

t | t f l f f t t l t l

t t t t

table table table table

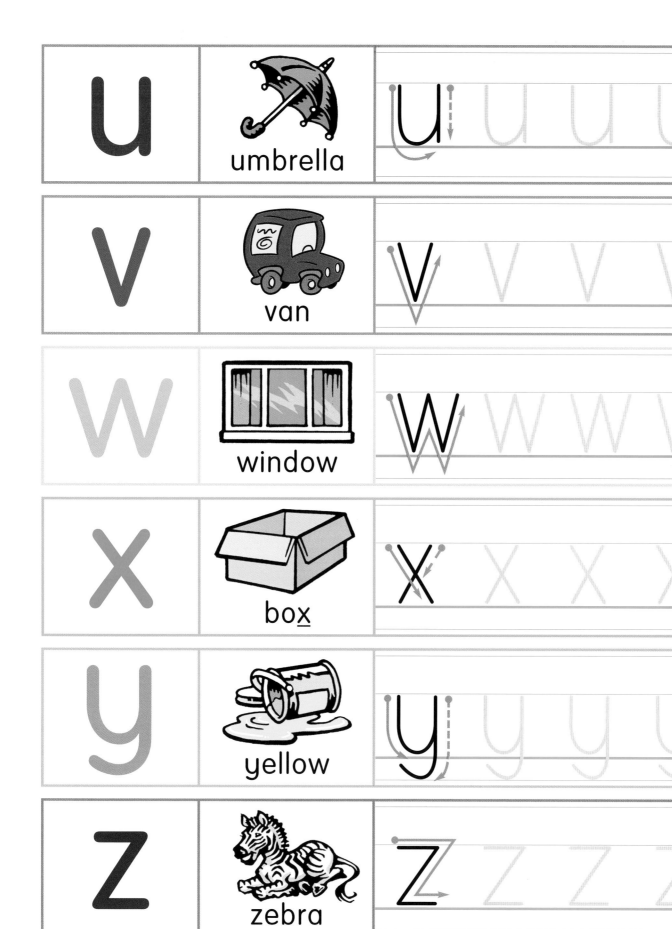

u — umbrella

v — van

w — window

x — box

y — yellow

z — zebra

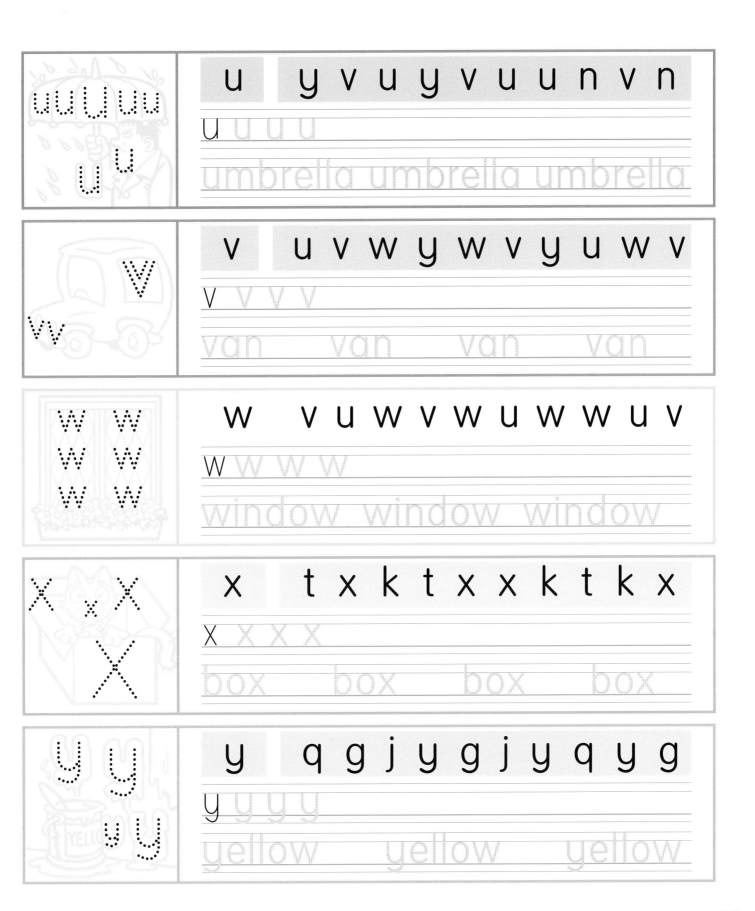

u | y v u y v u u n v n

u u u u
umbrella umbrella umbrella

v | u v w y w v y u w v

v v v v
van   van   van   van

w   v u w v w u w w u v

w w w w
window window window

x | t x k t x x k t k x

x x x x
box   box   box   box

y q g j y g j y q y g

y y y y
yellow   yellow   yellow

Z | S Z C W S C X C Z C

Z Z Z Z

zebra zebra zebra zebra

a b _ d e _ g h

i _ k l _ n o p _

r _ t u _ w x _ z

ABC...

A A AAAAAAA

A AaAaAaAa

B B B

B Bb

C C C

C Cc

D D D

D Dd

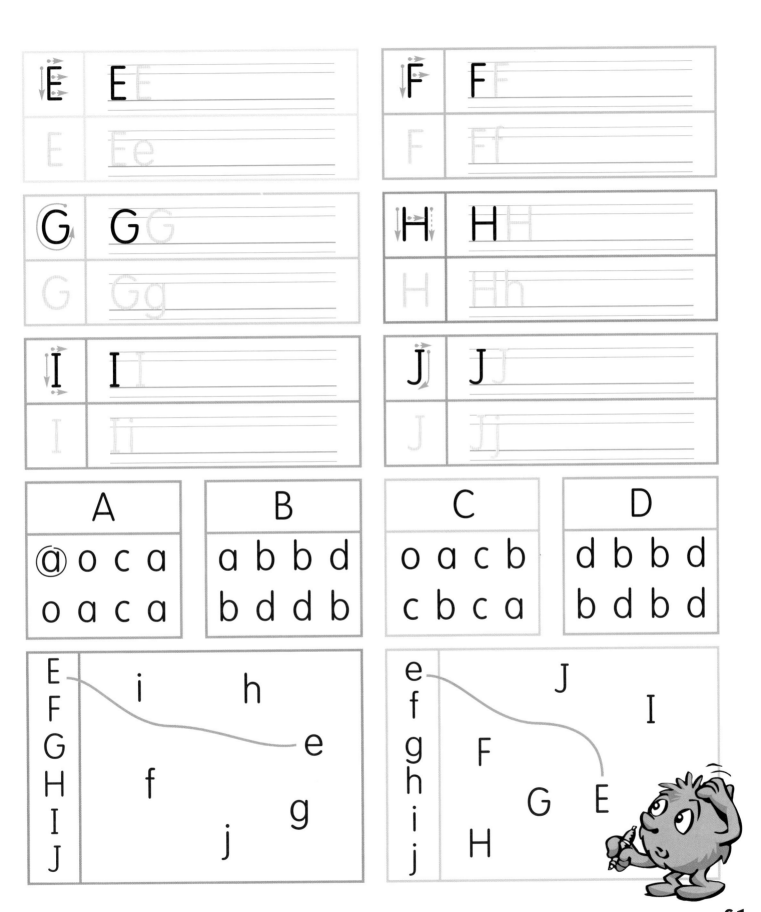

E E
E Ee

F F
F Ff

G G
G Gg

H H
H Hh

I I
I Ii

J J
J Jj

A
@ o c a
o a c a

B
a b b d
b d d b

C
o a c b
c b c a

D
d b b d
b d b d

E i h
F e
G
H f
I g
J j

e J
f I
g F
h G E
i
j H

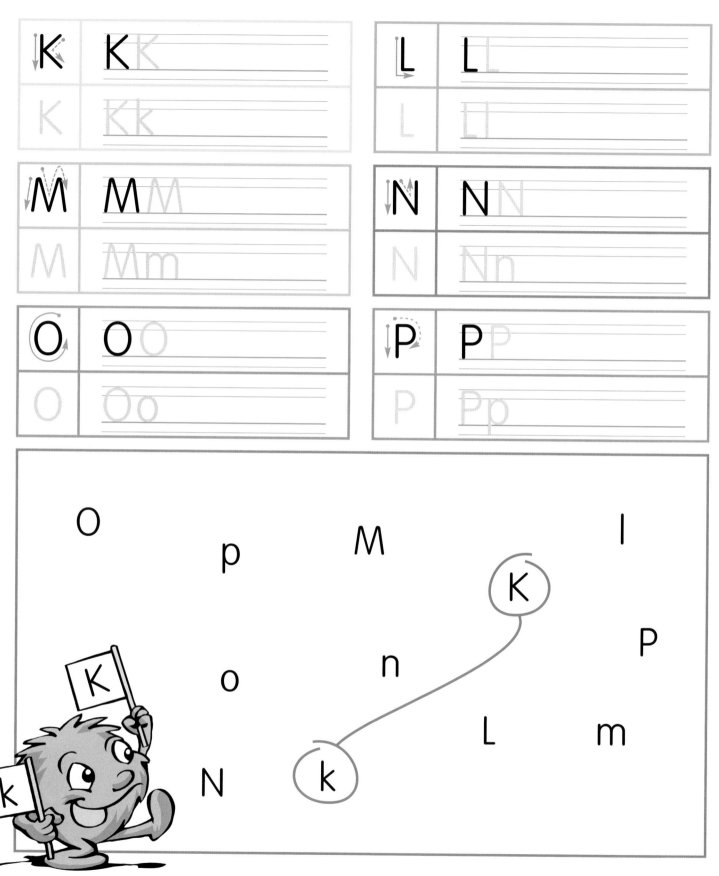

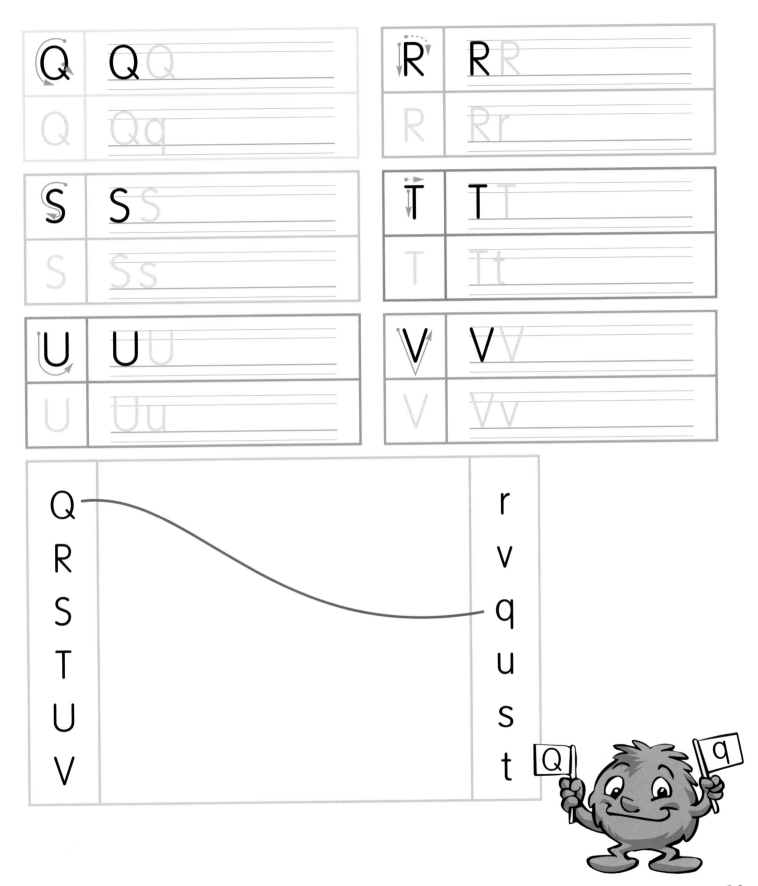

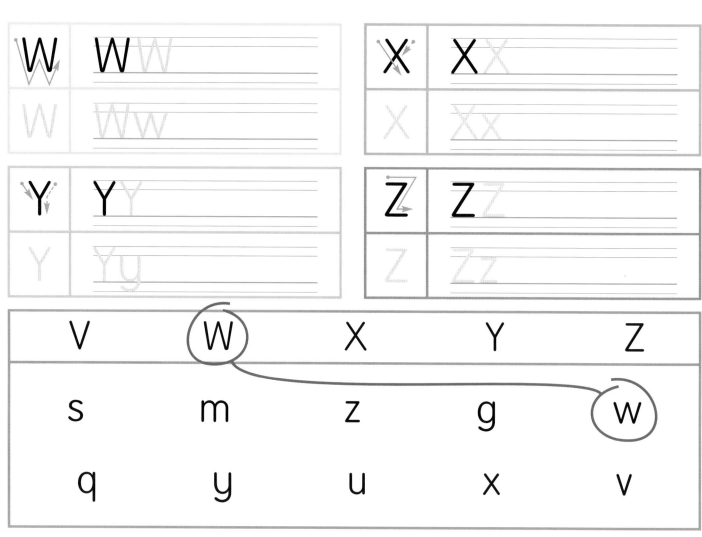

W	W	W
W	Ww	

X	X	X
X	Xx	

Y	Y	Y
Y	Yy	

Z	Z	Z
Z	Zz	

V	W	X	Y	Z
s	m	z	g	w
q	y	u	x	v

A _ C D E _ G H I
J _ L M N _ P Q _
S T _ V W _ _ Y Z